DU MÊME AUTEUR

Aux Éditions Gallimard

LA PREMIÈRE GORGÉE DE BIÈRE ET AUTRES PLAI-SIRS MINUSCULES (prix Grandgousier 1997), collection L'Arpenteur

ELLE S'APPELAIT MARINE, collection Folio junior

LA SIESTE ASSASSINÉE, collection L'Arpenteur

Aux Éditions du Mercure de France

IL AVAIT PLU TOUT LE DIMANCHE, Folio n° 3309

MONSIEUR SPITZWEG S'ÉCHAPPE, collection Le petit Mercure

Aux Éditions du Rocher

LA CINQUIÈME SAISON

UN ÉTÉ POUR MÉMOIRE

LE BONHEUR-TABLEAUX ET BAVARDAGES

LE BUVEUR DE TEMPS

LE MIROIR DE MA MÈRE (en collaboration avec Marthe Delerm)

AUTUMN (prix Alain-Fournier, 1990), Folio n° 3166

LES AMOUREUX DE L'HÔTEL DE VILLE

MISTER MOUSE OU LA MÉTAPHYSIQUE DU TERRIER

L'ENVOL (Librio n° 280)

SUNDBORN OU LES JOURS DE LUMIÈRE (prix des libraires 1997 et prix national des bibliothécaires 1997), Folio n° 3041

Suite de la bibliographie en fin de volume

L'Arpenteur

collection dirigée
par Gérard Bourgadier

Philippe Delerm

LA PREMIÈRE GORGÉE DE BIÈRE

ET AUTRES PLAISIRS
MINUSCULES

récits

Gallimard

Un couteau dans la poche

Pas un couteau de cuisine, évidemment, ni un couteau de voyou à cran d'arrêt. Mais pas non plus un canif. Disons, un opinel n° 6, ou un laguiole. Un couteau qui aurait pu être celui d'un hypothétique et parfait grand-père. Un couteau qu'il aurait glissé dans un pantalon de velours chocolat à larges côtes. Un couteau qu'il aurait tiré de sa poche à l'heure du déjeuner, piquant les tranches de saucisson avec la pointe, pelant sa pomme lentement, le poing replié à même la lame. Un couteau qu'il aurait refermé d'un geste ample et cérémonieux, après le café bu dans un verre — et cela aurait signifié pour chacun qu'il fallait reprendre le travail.

Un couteau que l'on aurait trouvé merveilleux si l'on était enfant : un couteau pour l'arc et les flèches, pour façonner l'épée de bois, la garde sculptée dans l'écorce — le couteau que vos parents trouvaient trop dangereux quand vous étiez enfant.

Mais un couteau pour quoi? Car l'on n'est plus au temps de ce grand-père, et l'on n'est plus enfant. Un couteau virtuel, alors, et cet alibi dérisoire :

— Mais si, ça peut servir à plein de choses, en promenade, en pique-nique, même pour bricoler quand on n'a pas d'outil...

Ça ne servira pas, on le sent bien. Le plaisir n'est pas là. Plaisir absolu d'égoïsme : une belle chose inutile de bois chaud ou bien de nacre lisse, avec le signe cabalistique sur la lame qui fait les vrais initiés : une main couronnée, un parapluie, un rossignol, l'abeille sur le manche. Ah oui, le snobisme est savoureux quand il s'attache à ce symbole de vie simple. À l'époque du fax, c'est le luxe rustique. Un objet tout à fait à soi, qui gonfle inutilement la poche, et que l'on sort de temps en temps, jamais pour s'en servir, mais pour le toucher, le regarder, pour la satisfaction benoîte de l'ouvrir et de le refermer. Dans ce présent gratuit le passé dort. Quelques secondes on se sent à la fois le grand-père bucolique à moustache blanche et l'enfant près de l'eau dans l'odeur du sureau. Le temps d'ouvrir et refermer la lame, on n'est plus entre deux âges, mais à la fois deux âges — c'est ça, le secret du couteau.

Le paquet de gâteaux
du dimanche matin

Des gâteaux séparés, bien sûr. Une religieuse au café, un paris-brest, deux tartes aux fraises, un mille-feuille. À part pour un ou deux, on sait déjà à qui chacun est destiné — mais quel sera celui-en-supplément-pour-les-gourmands? On égrène les noms sans hâte. De l'autre côté du comptoir, la vendeuse, la pince à gâteaux à la main, plonge avec soumission vers vos désirs; elle ne manifeste même pas d'impatience quand elle doit changer de carton — le mille-feuille ne tient pas. C'est important ce carton plat, carré, aux bords arrondis, relevés. Il va constituer le socle solide d'un édifice fragile, au destin menacé.

— Ce sera tout!

Alors la vendeuse engloutit le carton plat dans une pyramide de papier rose, bientôt nouée d'un ruban brun. Pendant l'échange de monnaie, on tient le paquet par en dessous, mais dès la porte du magasin franchie, on le saisit par la ficelle, et on l'écarte un peu du corps. C'est ainsi. Les gâteaux du dimanche sont à porter comme on tient un pendule. Sourcier des rites minuscules, on avance sans arrogance, ni fausse modestie. Cette espèce de componction, de sérieux de roi mage, n'est-ce pas ridicule ? Mais non. Si les trottoirs dominicaux ont goût de flânerie, la pyramide suspendue y est pour quelque chose — autant que çà et là quelques poireaux dépassant d'un cabas.

Paquet de gâteaux à la main, on a la silhouette du professeur Tournesol — celle qu'il faut pour saluer l'effervescence d'après messe et les bouffées de P.M.U., de café, de tabac. Petits dimanches de famille, petits dimanches d'autrefois, petits dimanches d'aujourd'hui, le temps balance en encensoir au bout d'une ficelle brune. Un peu de crème pâtissière a fait juste une tache en haut de la religieuse au café.

Aider à écosser des petits pois

C'est presque toujours à cette heure creuse de la matinée où le temps ne penche plus vers rien. Oubliés les bols et les miettes du petit déjeuner, loin encore les parfums mitonnés du déjeuner, la cuisine est si calme, presque abstraite. Sur la toile cirée, juste un carré de journal, un tas de petits pois dans leur gousse, un saladier.

On n'arrive jamais au début de l'opération. On traversait la cuisine pour aller au jardin, pour voir si le courrier était passé...

— Je peux t'aider?

Ça va de soi. On peut aider. On peut s'asseoir à la table familiale et d'emblée trouver pour l'écossage ce rythme nonchalant, pacifiant, qui semble suscité par un métronome intérieur. C'est facile, d'écosser les petits pois. Une pression du pouce sur la fente de la gousse et elle s'ouvre, docile, offerte. Quelques-unes, moins mûres, sont plus réticentes — une incision de l'ongle de l'index permet alors de déchirer le vert, et de sentir la mouillure et la chair dense, juste sous la peau faussement parcheminée. Après, on fait glisser les boules d'un seul doigt. La dernière est si minuscule. Parfois, on a envie de la croquer. Ce n'est pas bon, un peu amer, mais frais comme la cuisine de onze heures, cuisine de l'eau froide, des légumes épluchés — tout près, contre l'évier, quelques carottes nues brillent sur un torchon, finissent de sécher.

Alors on parle à petits coups, et là aussi la musique des mots semble venir de l'intérieur, paisible, familière. De temps en temps, on relève la tête pour regarder l'autre, à la fin d'une phrase; mais l'autre doit garder la tête penchée — c'est dans le code. On parle de travail, de projets, de fatigue — pas de psychologie. L'écossage des petits pois n'est pas conçu pour expliquer, mais pour suivre le cours, à léger contretemps. Il y en aurait pour cinq minutes, mais c'est bien de prolonger, d'alentir le matin, gousse à gousse, manches retroussées. On passe les mains dans les boules écossées qui remplissent le saladier. C'est doux; toutes ces rondeurs contiguës font comme une eau vert tendre, et l'on s'étonne de ne pas avoir les mains mouillées. Un long silence de bien-être clair, et puis :

— Il y aura juste le pain à aller chercher.

Prendre un porto

D'emblée, c'est hypocrite :
— Un petit porto, alors !
On dit cela avec une infime réticence, une affabilité restrictive. Bien sûr, on n'est pas de ces rabat-joie qui refuseraient toutes les largesses apéritives. Mais le « petit porto alors » tient davantage de la concession que de l'enthousiasme. On jouera sa partie, mais tout petit, mezza voce, à furtives lampées.

Un porto, ça ne se boit pas, ça se sirote. C'est l'épaisseur veloutée qui est en cause, mais aussi la parcimonie affectée. Pendant que les autres se livrent à l'amertume triomphale et glaçonnée du whisky, du martini-gin, on fera dans la tiédeur vieille France, dans le fruité du jardin de curé, dans le sucré suranné — juste de quoi faire rosir des joues de demoiselle.

Les deux « o » de porto gouleyent au fond de

la bouteille noire. Porto, ça roule au fond d'un golfe sombre, avec un port de tête altier de gentilhombre. De la noblesse cléricale, austère, et cependant galonnée d'or. Mais dans le verre, il reste seulement l'idée du noir. Plus grenat que rubis, c'est de la lave douce où donnent des histoires de couteau, des soleils de vengeance, et des menaces de couvent sous le fil du poignard. Oui, toute cette violence, mais endormie par le cérémonial du petit verre, par la sagesse des gorgées timides. Du soleil cuit, des éclats assourdis. Une saveur perverse de fruit mat où se seraient noyés les débordements, les brillances. À chaque lampée, on laisse le porto remonter vers une source chaude. C'est un plaisir à l'envers, qui s'épanouit à contretemps, quand la sobriété se fait sournoise. À chaque coup de langue en rouge et noir monte plus fort le lourd velours. Chaque gorgée est un mensonge.

L'odeur des pommes

On entre dans la cave. Tout de suite, c'est ça qui vous prend. Les pommes sont là, disposées sur des claies — des cageots renversés. On n'y pensait pas. On n'avait aucune envie de se laisser submerger par un tel vague à l'âme. Mais rien à faire. L'odeur des pommes est une déferlante. Comment avait-on pu se passer si longtemps de cette enfance âcre et sucrée?

Les fruits ratatinés doivent être délicieux, de cette fausse sécheresse où la saveur confite semble s'être insinuée dans chaque ride. Mais on n'a pas envie de les manger. Surtout ne pas transformer en goût identifiable ce pouvoir flottant de l'odeur. Dire que ça sent bon, que ça sent fort? Mais non. C'est au-delà... Une odeur intérieure, l'odeur d'un meilleur soi. Il y a l'automne de l'école enfermé là. À l'encre violette on griffe le papier de pleins, de déliés.

La pluie bat les carreaux, la soirée sera longue...

Mais le parfum des pommes est plus que du passé. On pense à autrefois à cause de l'ampleur et de l'intensité, d'un souvenir de cave salpêtrée, de grenier sombre. Mais c'est à vivre là, à tenir là, debout. On a derrière soi les herbes hautes et la mouillure du verger. Devant, c'est comme un souffle chaud qui se donne dans l'ombre. L'odeur a pris tous les bruns, tous les rouges, avec un peu d'acide vert. L'odeur a distillé la douceur de la peau, son infime rugosité. Les lèvres sèches, on sait déjà que cette soif n'est pas à étancher. Rien ne se passerait à mordre une chair blanche. Il faudrait devenir octobre, terre battue, voussure de la cave, pluie, attente. L'odeur des pommes est douloureuse. C'est celle d'une vie plus forte, d'une lenteur qu'on ne mérite plus.

Le croissant du trottoir

On s'est réveillé le premier. Avec une pru-
dence de guetteur indien on s'est habillé, fau-
filé de pièce en pièce. On a ouvert et refermé
la porte de l'entrée avec une méticulosité
d'horloger. Voilà. On est dehors, dans le bleu
du matin ourlé de rose : un mariage de mauvais goût s'il n'y avait le froid pour tout puri-
fier. On souffle un nuage de fumée à chaque
expiration : on existe, libre et léger sur le trottoir du petit matin. Tant mieux si la boulangerie est un peu loin. Kerouac mains dans les
poches, on a tout devancé : chaque pas est une
fête. On se surprend à marcher sur le bord du
trottoir comme on faisait enfant, comme si
c'était la marge qui comptait, le bord des
choses. C'est du temps pur, cette maraude
que l'on chipe au jour quand tous les autres
dorment.

Presque tous. Là-bas, il faut bien sûr la

lumière chaude de la boulangerie — c'est du néon, en fait, mais l'idée de chaleur lui donne un reflet d'ambre. Il faut ce qu'il faut de buée sur la vitre quand on s'approche, et l'enjouement de ce bonjour que la boulangère réserve aux seuls premiers clients — complicité de l'aube.

— Cinq croissants, une baguette moulée pas trop cuite !

Le boulanger en maillot de corps fariné se montre au fond de la boutique, et vous salue comme on salue les braves à l'heure du combat.

On se retrouve dans la rue. On le sent bien : la marche du retour ne sera pas la même. Le trottoir est moins libre, un peu embourgeoisé par cette baguette coincée sous un coude, par ce paquet de croissants tenu de l'autre main. Mais on prend un croissant dans le sac. La pâte est tiède, presque molle. Cette petite gourmandise dans le froid, tout en marchant : c'est comme si le matin d'hiver se faisait croissant de l'intérieur, comme si l'on devenait soi-même four, maison, refuge. On avance plus doucement, tout imprégné de blond pour traverser le bleu, le gris, le rose qui s'éteint. Le jour commence, et le meilleur est déjà pris.

Le bruit de la dynamo

Ce petit frôlement qui freine et frotte en ronronnant contre la roue. Il y avait si longtemps que l'on n'avait plus fait de bicyclette entre chien et loup ! Une voiture est passée en klaxonnant, alors on a retrouvé ce vieux geste : se pencher en arrière, la main gauche ballante, et appuyer sur le bouton-poussoir — à distance des rayons, bien sûr. Bonheur de déclencher cet assentiment docile de la petite bouteille de lait qui s'incline contre la roue. Le mince faisceau jaune du phare fait aussitôt la nuit toute bleue. Mais c'est la musique qui compte. Le petit frr frr rassurant semble n'avoir jamais cessé. On devient sa propre centrale électrique, à pédalées rondes. Ce n'est pas le frottement d'un garde-boue qui se déplace. Non, l'adhésion caoutchoutée du pneu au bouchon rainuré de la dynamo donne moins la sensation d'une entrave que celle d'un engourdissement bénéfique. La campagne alentour s'endort sous la vibration régulière.

Remontent alors des matinées d'enfance, la route de l'école avec le souvenir des doigts glacés. Des soirs d'été où on allait chercher le lait à la ferme voisine — en contrepoint le brinquebalement de la boîte de métal dont la petite chaîne danse. Des aubes en partance de pêche, avec derrière soi une maison qui dort, et les cannes de bambou légères entrechoquées. La dynamo ouvre toujours le chemin d'une liberté à déguster dans le presque gris, le pas tout à fait mauve. C'est fait pour pédaler tout doux, tout sage, attentif au déroulement du mécanisme pneumatique. Sur fond de dynamo, on se déplace rond, à la cadence d'un moteur de vent qui mouline avec l'air de rien des routes de mémoire.

L'inhalation

Ah! Les petites maladies de l'enfance qui vous laissent quelques jours de convalescence, à lire au lit des Bugs Bunny! Hélas, quand on vieillit, les plaisirs de la maladie deviennent rares. Il y a le grog, bien sûr. Prendre un bon grog corsé tout en se faisant plaindre est un moment précieux. Mais plus subtile peut-être est la volupté de l'inhalation.

On ne s'y résout pas tout de suite. De loin, l'inhalation paraît amère, vaguement vénéneuse. On l'assimile aux gargarismes, qui laissent dans la bouche un goût fade et cuivré. Mais après tout, on est si mal, la tête lourde et prise. On a soudain l'impression qu'un peu de mieux viendra de la cuisine. Oui, près du fourneau, de l'évier, du réfrigérateur, une espèce de simplicité fonctionnelle peut vous soulager. Le flacon de Fumigalène est là, sur l'étagère, à côté des sachets de tilleul et de thé. Sur l'étiquette, un profil démodé happe avec délice une volute de fumée blanc neige. C'est cela qui décide : cette impression de renouer avec un rituel démodé.

On fait chauffer de l'eau. Autrefois, on avait un inhalateur en plastique dont les deux parties se déboîtaient toujours et qui laissait des cernes sous les yeux. En éloignant un peu son livre, on pouvait même lire. Mais maintenant, on a perdu cet appareil, et c'est encore mieux. Il suffit de verser l'eau bouillante dans un bol, d'y ajouter une cuillère de ce liquide doré, translucide, qui aussitôt versé diffuse un nuage verdâtre, pois cassé. On se couvre la tête d'une serviette-éponge. Voilà. Le voyage commence, et l'on est englouti. De l'extérieur, on a toutes les apparences de quelqu'un qui se soigne sainement, avec une énergie mécanique et docile. En dessous, c'est autre chose. Une sorte de ramollissement cérébral gagne, et on plonge bientôt dans une moiteur confuse. La sueur monte aux tempes. Mais c'est à l'intérieur que tout se joue. Une respiration régulière, profonde, apparemment vouée à la libération méthodique des sinus, initie au pouvoir du Fumigalène pervers. Parfaitement immobile, on erre délicieusement avec des gestes d'une ampleur amphibienne dans la jungle pâle du poison vert tendre. L'eau vient de la fumée, la fumée vient de l'eau. On se dilate dans l'évanescence, et bientôt la torpeur. Tout près, très loin, des bruits de repas préparé viennent d'un monde simple. Mais immergé dans la vapeur des fièvres intérieures, on ne veut plus lever le voile.

On pourrait presque
manger dehors

C'est le « presque » qui compte, et le conditionnel. Sur le coup, ça semble une folie. On est tout juste au début de mars, la semaine n'a été que pluie, vent et giboulées. Et puis voilà. Depuis le matin, le soleil est venu avec une intensité mate, une force tranquille. Le repas de midi est prêt, la table mise. Mais même à l'intérieur, tout est changé. La fenêtre entrouverte, la rumeur du dehors, quelque chose de léger qui flotte.

« On pourrait presque manger dehors. » La phrase vient toujours au même instant. Juste avant de passer à table, quand il semble qu'il est trop tard pour bousculer le temps, quand les crudités sont déjà posées sur la nappe. Trop tard ? L'avenir sera ce que vous en ferez. La folie vous poussera peut-être à vous précipiter dehors, à passer un coup de chiffon fiévreux sur la table de jardin, à proposer des pull-overs, à canaliser l'aide que chacun déploie avec un enjouement maladroit, des déplacements contradictoires. Ou bien vous vous résignerez à déjeuner au chaud — les chaises sont bien trop mouillées, l'herbe si haute...

Mais peu importe. Ce qui compte, c'est le moment de la petite phrase. On pourrait presque... C'est bon, la vie au conditionnel, comme autrefois, dans les jeux enfantins : « On aurait dit que tu serais... » Une vie inventée, qui prend à contre-pied les certitudes. Une vie presque : à portée de la main, cette fraîcheur. Une fantaisie modeste, vouée à la dégustation transposée des rites domestiques. Un petit vent de folie sage qui change tout sans rien changer...

Parfois, on dit : « On aurait presque pu... » Là, c'est la phrase triste des adultes qui n'ont gardé en équilibre sur la boîte de Pandore que la nostalgie. Mais il y a des jours où l'on cueille le jour au moment flottant des possibles, au moment fragile d'une hésitation honnête, sans orienter à l'avance le fléau de la balance. Il y a des jours où l'on pourrait presque.

Aller aux mûres

C'est une balade à faire avec de vieux amis, à la fin de l'été. C'est presque la rentrée, dans quelques jours tout va recommencer; alors c'est bon, cette dernière flânerie qui sent déjà septembre. On n'a pas eu besoin de s'inviter, de déjeuner ensemble. Juste un coup de téléphone, au début du dimanche après-midi :

— Vous viendriez cueillir des mûres?

— C'est drôle, on allait justement vous le proposer!

On s'en revient toujours au même endroit, le long de la petite route, à l'orée du bois. Chaque année, les ronciers deviennent plus touffus, plus impénétrables. Les feuilles ont ce vert mat, profond, les tiges et les épines cette nuance lie-de-vin qui semblent les couleurs mêmes du papier vergé avec lequel on couvre livres et cahiers.

Chacun s'est muni d'une boîte en plastique où les baies ne s'écraseront pas. On commence à cueillir sans trop de frénésie, sans trop de discipline. Deux ou trois pots de confitures suffiront, aussitôt dégustés aux petits déjeuners d'automne. Mais le meilleur plaisir est celui du sorbet. Un sorbet à la mûre consommé le soir même, une douceur glacée où dort tout le dernier soleil fourré de fraîcheur sombre.

Les mûres sont petites, noir brillant. Mais on préfère goûter en cueillant celles qui gardent encore quelques grains rouges, un goût acidulé. On a vite les mains tachées de noir. On les essuie tant bien que mal sur les herbes blondes. En lisière du bois, les fougères se font rousses, et pleuvent en crosses recourbées au-dessus des perles mauves de bruyère. On parle de tout et de rien. Les enfants se font graves, évoquent leur peur ou leur désir d'avoir tel ou tel prof. Car ce sont les enfants qui mènent la rentrée, et le sentier des mûres a le goût de l'école. La route est toute douce, à peine vallonnée : c'est une route pour causer. Entre deux averses, la lumière avivée se donne encore chaude. On a cueilli les mûres, on a cueilli l'été. Dans le petit virage aux noisetiers, on glisse vers l'automne.

La première gorgée de bière

C'est la seule qui compte. Les autres, de plus en plus longues, de plus en plus anodines, ne donnent qu'un empâtement tiédasse, une abondance gâcheuse. La dernière, peut-être, retrouve avec la désillusion de finir un semblant de pouvoir...

Mais la première gorgée! Gorgée? Ça commence bien avant la gorge. Sur les lèvres déjà cet or mousseux, fraîcheur amplifiée par l'écume, puis lentement sur le palais bonheur tamisé d'amertume. Comme elle semble longue, la première gorgée! On la boit tout de suite, avec une avidité faussement instinctive. En fait, tout est écrit : la quantité, ce ni trop ni trop peu qui fait l'amorce idéale; le bien-être immédiat ponctué par un soupir, un claquement de langue, ou un silence qui les vaut; la sensation trompeuse d'un plaisir qui s'ouvre à l'infini... En même temps, on sait déjà. Tout le meilleur est pris. On repose son verre, et on l'éloigne même un peu sur le petit carré buvardeux. On savoure la couleur, faux miel, soleil froid. Par tout un rituel de sagesse et d'attente, on voudrait maîtriser le miracle qui vient à la fois de se produire et de s'échapper. On lit avec satisfaction sur la paroi du verre le nom précis de la bière que l'on avait commandée. Mais contenant et contenu peuvent s'interroger, se répondre en abîme, rien ne se multipliera plus. On aimerait garder le secret de l'or pur, et l'enfermer dans des formules. Mais devant sa petite table blanche éclaboussée de soleil, l'alchimiste déçu ne sauve que les apparences, et boit de plus en plus de bière avec de moins en moins de joie. C'est un bonheur amer : on boit pour oublier la première gorgée.

L'autoroute la nuit

La voiture est étrange : à la fois comme une petite maison familière et comme un vaisseau sidéral. À portée de la main, des bonbons menthe-réglisse. Mais sur le tableau de bord, ces pôles phosphorescents vert électrique, bleu froid, orange pâle. On n'a même pas besoin de la radio — tout à l'heure, peut-être, à minuit, pour les informations. C'est bon de se laisser gagner par cet espace. Bien sûr, tout semble docile, tout obéit : le levier de vitesses, le volant, un coup d'essuie-glace, une pression légère sur le lève-vitre. Mais en même temps l'habitacle vous mène, impose son pouvoir. Dans ce silence capitonné de solitude, on est un peu comme dans un fauteuil de cinéma : le film défile devant soi, et semble l'essentiel, mais l'imperceptible lévitation du corps donne la sensation d'une dépendance consentie, qui compte aussi.

Dehors, dans le faisceau des phares, entre le rail à droite et les buissons à gauche, c'est la même quiétude. Mais on ouvre la vitre d'un seul coup, et le dehors vient gifler la demi-somnolence : c'est la vitesse crue qui resurgit. Dehors, cent vingt kilomètres à l'heure ont la densité compacte d'une bombe d'acier lancée entre deux rails.

On traverse la nuit. Les panneaux espacés — Futuroscope, Poitiers-Nord, Poitiers-Sud, prochaine sortie Marais poitevin — ont des noms bien français qui sentent les leçons de géographie. Mais c'est une saveur abstraite, une réalité aveugle que l'on efface avec un vieux fond de roublardise cossarde : cette France virtuelle que l'on abolit, un pied sur l'accélérateur, un œil sur le compteur kilo-métrique, c'est une leçon de plus que l'on n'apprendra pas.

Cafétéria dix kilomètres. On va s'arrêter. Déjà on aperçoit la cathédrale de lumière toute plate au loin, et de plus en plus large, comme le port s'avance à la fin d'un voyage en bateau. Super + 98. Le vent est frais. Cet assentiment mécanique du bec verseur, le ron-ronnement du compteur. Puis la cafétéria, une épaisseur vaguement poisseuse, comme dans toutes les gares, tous les havres nocturnes. Expresso — supplément sucre. C'est l'idée du

café qui compte, pas le goût. Chaleur, amertume. Quelques pas gourds, le regard vague,
quelques silhouettes croisées, mais pas de
mots. Et puis le vaisseau retrouvé, la coque où
l'on se moule. Le sommeil est passé. Tant
mieux si l'aube reste loin.

Dans un vieux train

Pas dans le T.G.V., non! Ni dans le turbo-train, ni même dans un train corail. Mais dans un de ces vieux trains kaki qui sentent les années soixante. On s'attendait à l'asepsie fonctionnelle d'un wagon tout en longueur, à l'ouverture automatique d'une porte coulissante. Mais sur cette ligne familière, c'est bien un vieux train d'autrefois qu'on a remis en service ce jour-là. Pourquoi? On ne le saura pas.

On avance dans le couloir. Le premier geste qui change tout, c'est de tirer la porte du compartiment. Dans une bouffée de chaleur électrique et molle, on accède par effraction à une intimité plus ou moins vautrée, plus ou moins distante : on vous toise de bas en haut. Foin de l'anonymat des wagons monolithiques! Ne pas saluer, ne pas s'enquérir de la possibilité de prendre place relèverait de la barbarie. Il y faut même une sorte d'inquiétude chagrine qui fait partie du rite. C'est le sésame. Ayant requis l'honneur de s'intégrer au salon familial, on y est accepté par un assentiment qui tient du borborygme.

Dès lors, on peut se caler coin-couloir et déplier les jambes. Le regard de chaque passager obéit à une petite gymnastique instinctive et complexe : pause possible sur le sol noir caoutchouté, entre les pieds des occupants ; pause prolongée bienvenue juste au-dessus des visages. Les positions intermédiaires — les plus intéressantes pourtant — sont à effectuer furtivement. Mais nul n'est dupe : l'acuité de l'œil dément alors la pudeur de sa course. Une échappée vers le paysage semble de bon aloi, avec étape sur les cendriers plombés gravés S.N.C.F. Mais c'est en haut, près du miroir clouté, que l'œil revient se poser à son aise. Dans un petit cadre métallique, le cliché noir et blanc de Moustiers-Sainte-Marie (Hautes-Alpes) ne suscite pourtant aucun désir d'évasion. Il éveille davantage une vie ancienne, propre aux usages compartimentaux, aux casse-croûte. On y respire presque une odeur de saucisson coupé à l'opinel, on y pressent le déploiement de la serviette à carreaux rouges. On se replonge dans l'époque où le voyage était événement, où l'on vous attendait sur le quai de la gare avec des questions protocolaires :

— Non, j'étais bien. Coin-couloir, un jeune couple, deux militaires, un vieux monsieur qui est descendu aux Aubrais.

Le Tour de France

Le Tour de France, c'est l'été. L'été qui ne peut pas finir, la chaleur méridienne de juillet. Dans les maisons on tire les persiennes, la vie devient plus lente, la poussière danse dans les rais de soleil. Se tenir à l'enclos quand le ciel est si bleu semble déjà discutable. Mais s'avachir devant un poste de télévision quand les forêts sont profondes, quand l'eau promet la fraîcheur, la lumière! Pourtant on a le droit, si c'est pour regarder le Tour de France. Il s'agit là d'un rite respectable, qui échappe au farniente bestial, à la mollesse végétative. D'ailleurs on ne regarde pas le Tour de France. On regarde les Tours de France. Oui, dans chaque image du peloton lancé sur les routes d'Auvergne ou de Bigorre s'inscrivent en filigrane tous les pelotons du passé. Sous les maillots fluo, phosphorescents, on voit tous les anciens maillots de laine — le jaune d'Anquetil, tout juste paraphé d'une broderie Helyett; le bleu-blanc-rouge de Roger Rivière, avec ses manches si courtes; le violine et jaune de Raymond Poulidor, Mercier-BP-Hutchinson. À travers les roues lenticulaires, on devine les boyaux croisés sur les épaules de Lapébie ou de René Vietto. La caillasse solitaire de La Forclaz s'ébauche sur le bitume surpeuplé de l'Alpe-d'Huez.

Il y a toujours quelqu'un pour dire :

— Moi, ce que j'aime dans le Tour, c'est les paysages!

De fait, on traverse une France surchauffée, festive, dont le peuple s'égrène au fil des plaines, des villes et des cols. L'osmose entre les hommes et le décor se fait dans une ferveur bon enfant, quelquefois débordée par des hurluberlus surexcités. Mais sur fond de Galibier pierreux, de Tourmalet brumeux, un peu de paillardise franchouillarde ne fait que souligner la dimension mythique des héros.

Moins décisives, les étapes de plat sont tout aussi suivies. Le sentiment de voir passer le Tour y est plus ramassé, plus compact, et donne son prix au déploiement de la caravane publicitaire. Peu importent les bouleversements au classement général. C'est l'idée qui compte : communier un instant avec toute la France du soleil et des moissons. Sur l'écran du téléviseur, les étés se ressemblent, et les attaques les plus vives ont goût de menthe à l'eau.

Un banana-split

On n'en prend jamais. C'est trop mons-
trueux, presque fade à force d'opulence
sucreuse. Mais voilà. On a trop fait ces derniers temps dans le camaïeu raffiné, l'amertume ton sur ton. On a poussé jusqu'à l'île
flottante le léger vaporeux, l'insaisissable, et
jusqu'à la coupelle aux quatre fruits rouges la
luxuriance estivale mesurée. Alors, pour une
fois, on ne saute pas sur le menu la ligne réser-
vée au banana-split.

— Et pour vous?

— Un banana-split.

C'est assez difficile à commander, cette
montagne de bonheur simple. Le garçon
l'enregistre avec une objectivité déférente,
mais on se sent quand même un peu penaud.
Il y a quelque chose d'enfantin dans ce désir
total, que ne vient cautionner aucune morale
diététique, aucune réticence esthétique.

Banana-split, c'est la gourmandise provocante et puérile, l'appétit brut. Quand on vous l'apporte, les clients des tables voisines lorgnent l'assiette avec un œil goguenard. Car c'est servi sur assiette, le banana-split, ou dans une vaste barquette à peine plus discrète. Partout, dans la salle, ce ne sont que coupes minces pour cigognes, gâteaux étroits dont l'intensité chocolatée se recueille dans une étique soucoupe. Mais le banana-split s'étale : c'est un plaisir à ras de terre. Un vague empilement de la banane sur les boules de vanille et de chocolat n'empêche pas la surface, exacerbée par une dose généreuse de chantilly ringarde. Des milliers de gens sur terre meurent de faim. Cette pensée est recevable à la rigueur devant un pavé au chocolat amer. Mais comment l'affronter face au banana-split? La merveille étalée sous le nez, on n'a plus vraiment faim. Heureusement, le remords s'installe. C'est lui qui vous permettra d'aller au bout de toute cette douceur languissante. Une perversité salubre vient à la rescousse de l'appétit flageolant. Comme on volait enfant des confitures dans l'armoire, on dérobe au monde adulte un plaisir indécent, réprouvé par le code — jusqu'à l'ultime cuillerée, c'est un péché.

Invité par surprise

Vraiment, ce n'était pas prévu. On avait encore du travail à faire pour le lendemain. On était juste passé pour un renseignement, et puis voilà :

— Tu dînes avec nous? Mais alors simplement, à la fortune du pot!

Les quelques secondes où l'on sent que la proposition va venir sont délicieuses. C'est l'idée de prolonger un bon moment, bien sûr, mais celle aussi de bousculer le temps. La journée avait déjà été si prévisible; la soirée s'annonçait si sûre et programmée. Et puis voilà, en deux secondes, c'est un grand coup de jeune : on peut changer le cours des choses au débotté. Bien sûr on va se laisser faire.

Dans ces cas-là, rien de gourmé : on ne va pas vous cantonner dans un fauteuil côté salon pour un apéritif en règle. Non, la conversation va se mitonner dans la cuisine — tiens, si tu veux m'aider à éplucher les pommes de terre ! Un épluche-légumes à la main, on se dit des choses plus profondes et naturelles. On croque un radis en passant. Invité par surprise, on est presque de la famille, presque de la maison. Les déplacements ne sont plus limités. On accède aux recoins, aux placards. Tu la mets où, ta moutarde ? il y a des parfums d'échalote et de persil qui semblent venir d'autrefois, d'une convivialité lointaine — peut-être celle des soirs où l'on faisait ses devoirs sur la table de la cuisine ?

Les paroles s'espacent. Plus besoin de tous ces mots qui coulent sans arrêt. Le meilleur, à présent, ce sont ces plages douces, entre les mots. Aucune gêne. On feuillette un bouquin au hasard de la bibliothèque. Une voix dit « Je crois que tout est prêt » et on refusera l'apéritif — bien vrai. Avant de dîner, on s'assoira pour bavarder autour de la table mise, les pieds sur le barreau un peu haut de la chaise paillée. Invité par surprise on se sent bien, tout libre, tout léger. Le chat noir de la maison lové sur les genoux, on se sent adopté. La vie ne bouge plus — elle s'est laissé inviter par surprise.

Lire sur la plage

Pas si facile, de lire sur la plage. Allongé sur le dos, c'est presque impossible. Le soleil éblouit, il faut tenir à bout de bras le livre au-dessus du visage. C'est bon quelques minutes, et puis on se retourne. Sur le côté, appuyé sur un coude, la main posée contre la tempe, l'autre main tenant le livre ouvert et tournant les pages, c'est assez inconfortable aussi. Alors on finit sur le ventre, les deux bras repliés devant soi. Au ras du sol, il y a toujours un peu de vent. Les petits cristaux micacés s'insinuent dans la reliure. Sur le papier grisâtre et léger des livres de poche, les grains de sable s'amassent, perdent leur éclat, se font oublier — c'est juste un poids supplémentaire qu'on disperse négligemment au bout de quelques pages. Mais sur le papier lourd, grenu et blanc des éditions d'origine, le sable s'insinue. Il se diffuse sur les aspérités crémeuses, et brille çà et là. C'est une ponctuation supplémentaire, un autre espace ouvert.

Le sujet du livre compte aussi. On tire de belles satisfactions à jouer sur le contraste. Lire un passage du *Journal* de Léautaud où il vilipende précisément les corps amassés sur les plages de Bretagne. Lire *À l'ombre des jeunes filles en fleurs*, et renouer avec un monde balnéaire de canotiers, d'ombrelles, et de saluts distillés à l'ancienne. Plonger sous le soleil dans le malheur pluvieux d'Olivier Twist. Chevaucher à la d'Artagnan dans l'immobilité pesante de juillet.

Mais travailler « dans la couleur » est bon aussi : étirer à l'infini *Le Désert* de Le Clézio dans son propre désert ; et dans les pages alors le sable dispersé prend des secrets de Touareg, des ombres lentes et bleues.

À lire trop longtemps les bras étalés devant soi, le menton s'enfonce, la bouche boit la plage, alors on se redresse, bras croisés contre la poitrine, une seule main glissée à intervalles pour tourner les pages et les marquer. C'est une position adolescente, pourquoi ? Elle tire la lecture vers une ampleur un rien mélancolique. Toutes ces positions successives, ces essais, ces lassitudes, ces voluptés irrégulières, c'est la lecture sur la plage. On a la sensation de lire avec le corps.

Les loukoums chez l'Arabe

Parfois, on vous offre des loukoums dans une boîte de bois blanc pyrogravée. C'est le loukoum de retour de voyage ou, plus aseptisé encore, le loukoum-cadeau-du-dernier-moment. C'est drôle, mais on n'a jamais envie de ces loukoums-là. La large feuille transparente glacée qui délimite les étages et empêche de coller semble empêcher aussi de prendre du plaisir avec ce loukoum entre deux doigts — loukoum d'après le café qu'on appréhende sans conviction du bout de l'incisive, en secouant de l'autre main la poudre tombée sur son pull.

Non, le loukoum désirable, c'est le loukoum de la rue. On l'aperçoit dans la vitrine : une pyramide modeste mais qui fait vrai, entre les boîtes de henné, les pâtisseries tunisiennes vert amande, rose bonbon, jaune d'or. La boutique est étroite, et pleine à craquer du sol au plafond. On entre là avec une timidité condescendante, un sourire trop courtois pour être honnête, déstabilisé par cet univers où les rôles ne sont pas distribués avec évidence. Ce jeune garçon aux cheveux crépus est-il vendeur, ou copain du fils du patron? Il y a quelques années, on avait toujours droit à un Berbère à petit béret bleu, on se lançait en confiance. Mais maintenant, il faut se risquer à l'aveuglette, au risque de passer pour ce qu'on est — un béotien gourmand désemparé. On ne saura pas si le jeune homme est vraiment vendeur, mais en tout cas il vend, et cette incertitude prolongée vous met un peu plus mal à l'aise. Six loukoums? À la rose? Tous à la rose, si vous voulez. Devant cette obligeance prodiguée avec une désinvolture que l'on craint légèrement moqueuse, la confusion grandit. Mais déjà le « vendeur » a rangé vos loukoums à la rose dans un sac en papier. On jette un œil émerveillé sur la cale au trésor, carénée de pois chiches et de bouteilles de Sidi Brahim, où même le rouge des boîtes de coca empilées a pris un petit air kabyle. On paie sans triomphalisme, on part presque comme un voleur, le sachet à la main. Mais là, sur le trottoir, quelques mètres plus loin, on a soudain sa récompense. Le loukoum de l'Arabe est juste à déguster comme ça, sur le trottoir, en douce, dans la fraîcheur du soir — tant pis pour la poudre qui s'éparpille sur les manches.

Le dimanche soir

Le dimanche soir! On ne met pas la table, on ne fait pas un vrai dîner. Chacun va tour à tour piocher au hasard de la cuisine un casse-croûte encore endimanché — très bon le poulet froid dans un sandwich à la moutarde, très bon le petit verre de bordeaux bu sur le pouce, pour finir la bouteille. Les amis sont partis sur le coup de six heures. Il reste une longue lisière. On fait couler un bain. Un vrai bain de dimanche soir, avec beaucoup de mousse bleue, beaucoup de temps pour se laisser flotter entre deux riens ouatés, brumeux. Le miroir de la salle de bains devient opaque, et les pensées se ramollissent. Surtout ne pas penser à la semaine qui s'achève, encore moins à celle qui va commencer. Se laisser fasciner par ces petites vagues au bout des doigts fripés par la mouillure chaude. Et puis, quand tout est vide, s'extirper enfin. Prendre un bouquin? Oui, tout à l'heure. À présent, une émission télévisée fera l'affaire. La plus idiote conviendra. Ah — regarder pour regarder, sans alibi, sans désir, sans excuse! C'est comme l'eau du bain : une hébétude qui vous engourdit d'un bien-être palpable. On se croit tout confortable jusqu'à la nuit, en pantoufles dans sa tête. Et c'est là qu'elle vient, la petite mélancolie. Le téléviseur peu à peu devient insupportable, et on l'éteint. On se retrouve ailleurs, parfois jusqu'à l'enfance, avec de vagues souvenirs de promenades à pas comptés, sur fond d'inquiétudes scolaires et d'amours inventées. On se sent traversé. C'est fort comme une pluie d'été, ce petit vague à l'âme qui s'invite, ce petit mal et bien qui revient, familier — c'est le dimanche soir. Tous les dimanches soir sont là, dans cette fausse bulle où rien n'est arrêté. Dans l'eau du bain les photos se révèlent.

Le trottoir roulant
de la station Montparnasse

Du temps perdu, du temps gagné ? En tout cas, c'est une longue parenthèse, ce trottoir qui défile, infiniment rectiligne, silencieux. À l'origine, il y a presque un aveu : on ne peut imposer un couloir aussi long, un transit aussi colossal. Les esclaves du stress urbain ont droit à quelque rémission. À condition toutefois de rester dans le courant, de convertir en accélération objective cet allègement nuageux dans leur parcours du combattant.

Il est immense, le trottoir roulant de la station Montparnasse. On s'y engage avec la même appréhension que sur les escalators des magasins. Mais ici, pas de marches dépliées comme des mâchoires d'alligator. Tout se fait dans l'horizontalité. Du coup, on éprouve le même type de vertige que lorsqu'on descend un escalier dans le noir, et que l'on croit à une dernière marche alors qu'il n'y en a plus. Une fois embarqué sur cette eau vive, tout bascule. Est-ce le déroulement du trottoir qui contraint à une certaine raideur, ou bien compense-t-on par une réaction d'amour-propre ce soudain laisser-aller, ce laisser-faire? On voit bien devant soi quelques inconditionnels de la précipitation qui multiplient la vitesse du trottoir par de longues enjambées. Mais c'est bien meilleur de demeurer guetteur, la main posée sur la rampe noire.

En sens inverse glissent vers vous des silhouettes hiératiques, et c'est de part et d'autre le même regard faussement absent. Étrange façon de se croiser, proches et inaccessibles, dans cette fuite accélérée qui joue la nonchalance. Destins happés une seconde, visages presque abstraits, planant sur fond d'espace gris. Plus loin, le couloir réservé aux marcheurs impénitents, dédaigneux des facilités du trottoir mécanique. Ils vont très vite, soucieux de démontrer l'inanité des concessions à la paresse. On les ignore : leur désir de donner mauvaise conscience a quelque chose d'un peu fruste et ridicule. Il faut s'en tenir au charme accaparant du trottoir roulant. C'est une fièvre sage, au long du rail mélancolique. Dans l'immobilité fuyante, on est un personnage de Magritte, une enveloppe de banalité urbaine croisant des doubles évanescents sur un ruban d'infini plat.

Le cinéma

Ce n'est pas vraiment une sortie, le cinéma.
On est à peine avec les autres. Ce qui compte,
c'est cette espèce de flottement ouaté que l'on
éprouve en entrant dans la salle. Le film n'est
pas commencé; une lumière d'aquarium
tamise les conversations feutrées. Tout est
bombé, velouté, assourdi. La moquette sous
les pieds, on dévale avec une fausse aisance
vers un rang de fauteuils vide. On ne peut pas
dire qu'on s'assoie, ni même qu'on se carre
dans son siège. Il faut apprivoiser ce volume
rebondi, mi-compact, mi-moelleux. On se
love à petits coups voluptueux. En même
temps, le parallélisme, l'orientation vers
l'écran mêlent l'adhésion collective au plaisir
égoïste.

Le partage s'arrête là, ou presque. Que
saura-t-on de ce géant désinvolte qui lit
encore son journal, trois rangs devant? Quel-

ques rires peut-être, aux moments où l'on n'aura pas ri — ou pire encore : quelques silences aux moments où l'on aura ri soi-même. Au cinéma, on ne se découvre pas. On sort pour se cacher, pour se blottir, pour s'enfoncer. On est au fond de la piscine, et dans le bleu tout peut venir de cette fausse scène sans profondeur, abolie par l'écran. Aucune odeur, aucun coulis de vent dans cette salle penchée vers une attente plate, abstraite, dans ce volume conçu pour déifier une surface.

L'obscurité se fait, l'autel s'allume. On va flotter, poisson de l'air, oiseau de l'eau. Le corps va s'engourdir, et l'on devient campagne anglaise, avenue de New York ou pluie de Brest. On est la vie, la mort, l'amour, la guerre, noyé dans l'entonnoir d'un pinceau de lumière où la poussière danse. Quand le mot fin s'inscrit, on reste prostré, en apnée. Puis la lumière insupportable se rallume. Il faut se déplier alors dans le coton, et s'ébrouer vers la sortie en somnambule. Surtout ne pas laisser tomber tout de suite les mots qui vont casser, juger, noter. Sur la moquette vertigineuse, attendre patiemment que le géant au journal soit passé devant. Cosmonaute pataud, garder quelques secondes cette étrange apesanteur.

Le pull d'automne

C'est toujours plus tard qu'on ne pensait.
Septembre est passé si vite, plein de
contraintes de rentrée. En retrouvant la pluie,
on se disait « Voilà l'automne »; on acceptait
que tout ne soit plus qu'une parenthèse avant
l'hiver. Mais quelque part, sans trop se
l'avouer, on attendait quelque chose. Octobre.
Les vraies nuits de gel, dans la journée le ciel
bleu sur les premières feuilles jaunes. Octobre,
ce vin chaud, cette mollesse douce de la
lumière, quand le soleil n'est bon qu'à quatre
heures, l'après-midi, que tout prend la douceur oblongue des poires tombées de l'espalier.

Alors il faut un nouveau pull. Porter sur soi
les châtaignes, les sous-bois, les bogues des
marrons, le rouge rosé des russules. Refléter la
saison dans la douceur de la laine. Mais un

pull neuf : choisir le nouveau feu qui va commencer de finir.

Dans des tons verts ? Un vert d'Irlande, pois cassé, brumeux, whisky rugueux, sauvage et solitaire comme les champs de tourbe, l'herbe rase. Mais roux ? il y a tant de rousseurs, chevelures ophéliennes, désir de goûter comme avant, pain-beurre-pain d'épice, forêts surtout, rousseur du sol, rousseur du ciel, insaisissables odeurs de foires et bois, de cèpes et d'eau. Et grège, pourquoi pas ? Un pull à grosses mailles, à croisillons, comme si quelqu'un avait encore le temps de tricoter pour vous.

Un pull très grand : le corps va s'abolir, on sera la saison. Un pull en creux d'épaule, en espérant... Même pour soi, c'est bon, cette façon de jouer la fin des choses ton sur ton. Choisir le confort des mélancolies. Acheter la couleur des jours, un nouveau pull d'automne.

Apprendre une nouvelle
dans la voiture

« France Inter, il est dix-sept heures, l'heure des informations, présentées par... » Un court indicatif musical, et puis : « La nouvelle vient de tomber sur les téléscripteurs : Jacques Brel est mort. »

À cet endroit, l'autoroute descend rapidement dans une vallée sans charme particulier, quelque part entre la sortie d'Évreux et celle de Mantes. On est passé là cent fois, sans autre préoccupation que celle de doubler un poids lourd, de commencer à s'inquiéter de la monnaie pour le péage. Tout à coup, le paysage est découpé, arrêté sur image. Ça se passe en une fraction de seconde. On sait que la photo est prise. Cette côte à trois voies bien anonyme et grise qui remonte vers la vallée de la Seine prend un caractère, une singularité qu'on ne soupçonnait pas. Peut-être même le camion Antar rouge et blanc sur la file de droite restera-t-il dans l'image. C'est comme si on découvrait la réalité d'un lieu qu'on n'avait pas envie de connaître, qu'on associait seulement à un certain ennui, à une légère fatigue, une abstraction morose du trajet.

De Jacques Brel, on avait des tas d'images, des souvenirs d'adolescence liés à des chansons, ce déferlement physique de l'ovation quand il chantait *Amsterdam* à l'Olympia en 1964. Mais tout cela va disparaître. Le temps va passer. On entendra d'abord beaucoup de chansons de Brel, beaucoup d'hommages. Puis un peu moins, et jusqu'à presque pas. Mais chaque fois, le val d'autoroute au moment de la nouvelle reviendra. C'est absurde ou magique, mais on n'y peut rien. La vie fait son film, et le pare-brise de la voiture peut devenir un écran, l'autoradio une caméra. Des bouts de pellicule tournent dans la tête. Mais c'est le voyage qui fait ça aussi, cette fausse familiarité des paysages l'un par l'autre effacés qui un jour se cristallise. La mort de Jacques Brel est une autoroute à trois voies, avec un gros camion Antar sur la file de droite.

Le jardin immobile

On marche dans un jardin, l'été, quelque part en Aquitaine. C'est le creux du mois d'août, au début de l'après-midi. Pas un souffle de vent. Même la lumière semble dormir sur les tomates : juste un point de brillance sur chaque fruit rouge. La dernière pluie les a maculés d'un peu de terre. C'est bon, l'idée de les passer sous l'eau fraîche, et de goûter leur chair encore attiédie. À l'heure qui ne passe pas, juste déguster la déclinaison patiente des couleurs. Il y a des tomates d'un vert pâle, un peu plus foncé au cœur du réceptacle, et d'autres d'un presque orangé où dort une touche d'acide. Celles-là ne semblent pas faire ployer la branche. Seules les tomates mûres ont la sensualité penchée.

Un escabeau s'appuie contre le prunier d'ente. Plusieurs fruits sont tombés dans la petite allée qui court autour du potager. De

61

loin, les prunes paraissent mauves, mais on découvre en les approchant toute une lutte entre bleu sombre et rose, et quelques grains de sucre collés sur la peau fragile : les fruits tombés se sont ouverts et pleurent une chair abricot brunie par la terre mouillée. Dans l'arbre, les prunes pas tout à fait mûres ont des rougeurs tachetées sur fond d'ocre-vert : le bleuté de leurs aînées les tente et les effraie.

On voudrait s'en tenir à l'ombre. Mais le soleil pleut dans les branches avec une implacable douceur. C'est lui qui fait le blond de tout le potager : celui des laitues paresseuses, mais aussi des bettes affalées contre le sol. Seules les feuilles des carottes résistent en piquante verdeur, comme si leur minceur les préservait d'un abandon languide. Au bout, contre la haie, c'est trop tard pour les framboisiers : loin du velours rubis-grenat, on en est déjà là au dessèchement brun, à la scorie parcheminée. De l'autre côté, le long du petit mur de pierre, court le poirier en espalier, avec cet ordonnancement symétrique des bras que vient féminiser l'oblongue matité du fruit moucheté de sable roux. Mais la fraîcheur la plus acidulée, la plus désaltérante monte du pied de vigne muscate déployé juste à côté. Les grappes hésitent entre l'or pâle et le vert d'eau, entre l'opaque et le translucide ; les unes se gorgent de lumière quand les autres, plus réservées, préservent une pellicule de buée-poussière. Mais quelques grains déjà se nuancent de lie-de-vin, et dérangent la séduction adolescente des grappes vertes happant le soleil d'août.

Il fait chaud, mais le prunier, l'abricotier, le cerisier donnent leur ombre où dort aussi la table de ping-pong inemployée — quelques prunes rouges sont tombées sur la peinture émeraude écaillée. Il fait chaud, mais au plus profond d'août dort au jardin l'idée de l'eau. C'est autour d'une longue tige de bambou le tuyau d'arrosage aux couleurs délavées. La courbe irrégularité de ses méandres, la vétusté de ses raccords emmaillotés de chatterton et de ficelle ont quelque chose de familial, de pacifiant; l'eau qui viendra de là ne peut avoir de violence calcaire, de fraîcheur mécanique. De là coulera dans le soir une eau-douceur, une eau-sagesse, juste assez.

Mais maintenant, c'est l'heure du soleil, de l'immobilité sur tous les blonds, les verts, les roses — c'est l'heure de cueillir et d'arrêter.

Mouiller ses espadrilles

C'est à peine si le chemin semble mouillé.
Sur le coup, on ne sent rien. Le pas reste
léger, corde contre terre, avec cet ébranlement
du sol sous le pied qui fait le plaisir de marcher en espadrilles. En espadrilles, on est tout
juste assez civilisé pour tutoyer le globe, sans
l'appréhension rétive du pied nu méfiant,
sans l'excessive assurance du pied trop bien
chaussé. En espadrilles c'est l'été, le monde
est souple et chaud, parfois collant sur le gou-
dron fondu. Mais sur le chemin de terre
sablonneuse, juste après l'averse, c'est délicieux. Ça sent... les épis de maïs, les tiges de
sureau, les feuilles tombées des peupliers —
juste ces petites feuilles jaunes d'été paresseuses qui préfèrent dormir au pied de l'arbre.
Voilà pour l'odeur blonde. Au-dessus, un parfum plutôt vert sombre monte des bords de
l'eau, avec une touche de menthe sur le fade

de la vase. Bien sûr, juste au-dessus des peupliers, le ciel à l'horizon se resserre en gris-mauve, avec cet éloignement des nuages satisfaits qui renoncent à pleuvoir. Le paysage, les odeurs, l'élasticité de la marche : les sensations mêlées restent en équilibre. Mais peu à peu, c'est le bas qui s'impose : le pied, le pas, le sol semblent tirer à eux le sens de la promenade. Quand on pense que les espadrilles sont mouillées, c'est beaucoup trop tard. La progression est implacable. Cela commence à la frange de la toile : une auréole indécise qui va s'étendre, et révéler tout le rêche du tissu. On croit enfiler des semelles de vent, du lin tellement fin qu'il coupe au bord du pied. Deux flaques traversées, et ce voile aérien devient le grain rugueux d'un sac à pommes de terre. La sensation d'humidité ne serait rien, mais il s'y mêle aussitôt une impression de lourdeur insupportable. La semelle hypocrite rend les armes, après une feinte résistance : c'est d'elle que vient tout le mal, et sa corde nouée se vautre bientôt dans une mouillure compacte, une aqueuse perversité, rien ne respire. Le carénage de caoutchouc fait pitié : à quoi bon protéger d'une nuance de confort moderniste le désastre irrémédiable? Une espadrille est une espadrille. Trempée, elle pèse de plus en plus lourd, et l'odeur de la vase prend le pas sur celle des peupliers. Le ciel ne menace plus de rien, mais bêtement on est mouillé, l'été s'englue, le sable colle. Et puis on sait déjà. Les espadrilles ne sèchent jamais tout à fait. Sur l'appui d'une fenêtre ou dans un placard à chaussures, elles se recroquevillent, le nœud de corde s'épanouit en bourre pelucheuse, la toile est lourde pour jamais, l'auréole se fige.

Dès les premiers signes du mal, le diagnostic est consternant : pas de rémission, pas d'espoir. Mouiller ses espadrilles, c'est connaître l'amère volupté d'un naufrage complet.

Les boules en verre

C'est l'hiver pour toujours, dans l'eau des boules en verre. On en prend une dans ses mains. La neige flotte au ralenti, dans un tourbillon né du sol, d'abord opaque, évanescent; puis les flocons s'espacent, et le ciel bleu turquoise reprend sa fixité mélancolique. Les derniers oiseaux de papier restent en suspens quelques secondes avant de retomber. Une paresse cotonneuse les invite à retrouver le sol. On repose la boule. Quelque chose a changé. Dans l'apparente immobilité du décor, on entend désormais comme un appel. Toutes les boules sont pareilles. Que ce soit fond de mer traversé d'algues et de poissons, tour Eiffel, Manhattan, perroquet, paysage en montagne ou souvenir de Saint-Michel, la neige danse et puis tout doucement s'arrête de danser, se disperse, s'éteint. Avant le bal d'hiver il n'y avait rien. Après... sur l'Empire

State Building un flocon est resté, souvenir impalpable que l'eau des jours n'efface pas. Ici le sol reste jonché des pétales légers de la mémoire.

Les boules en verre se souviennent. Elles rêvent silencieusement la tourmente, le blizzard qui reviendra peut-être, ou ne reviendra pas. Souvent sur l'étagère elles resteront; on oubliera tout le bonheur qu'on peut faire neiger dans l'enclos de ses mains, cet étrange pouvoir de réveiller le long sommeil de verre.

Dedans, l'air est de l'eau. On ne s'en soucie pas d'abord. Mais à bien regarder, une petite bulle est coincée tout en haut. Le regard change. On ne voit plus la tour Eiffel dans un ciel bleu d'avril, la frégate cinglant sur une mer étale. Tout devient d'une clarté lourde; derrière la paroi, des courants flottent en haut des tours. Royaumes des hautes solitudes, méandres graves, imperceptibles mouvements dans le silence fluide. Le fond est peint en bleu de lait jusqu'au plafond, au ciel, à la surface. Bleu de douceur factice qui n'existe pas, et dont la béatitude finit par inquiéter, comme on pressent les pièges du destin dans un début d'après-midi écrasé de sieste et d'absence. On prend le monde dans ses mains, la boule est vite presque chaude. Une avalanche de flocons efface d'un seul coup cette angoisse latente des courants. Il neige au fond de soi, dans un hiver inaccessible où le léger l'emporte sur le lourd. La neige est douce au fond de l'eau.

Le journal du petit déjeuner

C'est un luxe paradoxal. Communier avec
le monde dans la paix la plus parfaite, dans
l'arôme du café. Sur le journal, il y a surtout
des horreurs, des guerres, des accidents.
Entendre les mêmes informations à la radio,
ce serait déjà se précipiter dans le stress des
phrases martelées en coups de poing. Avec le
journal, c'est tout le contraire. On le déploie
tant bien que mal sur la table de la cuisine,
entre le grille-pain et le beurrier. On enregistre
vaguement la violence du siècle, mais elle sent
la confiture de groseilles, le chocolat, le pain
grillé. Le journal par lui-même est déjà pacifiant. On n'y découvre pas le jour, ni la réalité : on lit *Libération, Le Figaro, Ouest-France*,
ou *La Dépêche du Midi*. Sous la pérennité du
bandeau titre, les catastrophes du présent
deviennent relatives. Elles ne sont là que pour
pimenter la sérénité du rite. L'ampleur des

pages, l'encombrement du bol de café permettent seulement une lecture posée. On tourne les pages précautionneusement, avec une lenteur révélatrice : il s'agit moins d'absorber le contenu que de profiter au mieux du contenant.

Dans les films, les journaux sont souvent symbolisés par la frénésie des rotatives, les cris surexcités des vendeurs dans la rue. Mais le journal que l'on découvre au petit matin dans sa boîte aux lettres n'a pas la même fièvre. Il dit les nouvelles d'hier : ce faux présent semble venir d'une nuit de sommeil. Et puis les rubriques sages comptent davantage que le sensationnel. On lit la météo, et c'est d'une abstraction très douce : au lieu de guetter au-dehors les signes évidents de la journée, on les infuse du dedans, dans l'amertume sucrée du café. La page des sports, surtout, est immuable et rassurante : les défaites y sont toujours suivies d'espoirs de revanche, les échéances se renouvellent avant que les tristesses ne soient consommées... Il ne se passe rien, dans le journal du petit déjeuner, et c'est pour ça que l'on s'y précipite. On y allonge la saveur du café chaud, du pain grillé. On y lit que le monde se ressemble, et que le jour n'est pas pressé de commencer.

Un roman d'Agatha Christie

Est-ce qu'il y a vraiment tant d'atmosphères dans les romans d'Agatha Christie? Peut-être qu'on se les invente — simplement parce qu'on se dit : c'est un roman d'Agatha Christie. Oui, la pluie sur la pelouse au-delà des bow-windows, le chintz à ramages vert canard des doubles rideaux, ces fauteuils aux courbes si moelleuses déferlant jusqu'au sol, où sont-ils? Où sont ces scènes de chasse rouge fuchsia s'arrondissant sur le service à thé, ces rigidités bleuâtres des cendriers en wedgwood?

Il suffit qu'Hercule Poirot fasse fonctionner ses petites cellules et tire sur les pointes de ses moustaches : on voit l'orange clair du thé, on sent le parfum mauve et fade de la vieille Mrs. Atkins.

Il y a des meurtres, et cependant tout est si calme. Les parapluies s'égouttent dans l'entrée, une servante au teint laiteux s'éloigne sur le parquet blond frotté à la cire d'abeille. Personne ne joue plus sur le vieux piano droit, et il semble pourtant qu'une romance aigrelette déroule ses émois faciles sur les porte-photos, les japonaiseries de porcelaine. Plus que la violence du meurtre, on le sait bien, c'est l'intrigue qui compte, la découverte du coupable. Mais à quoi bon rivaliser avec les cellules de Poirot, la maîtrise d'Agatha? Elle vous surprendra toujours à la dernière page, c'est son droit.

Alors, dans cet espace familier entre le crime et le coupable, on se construit un univers douillet. Ces cottages anglais ont tout de l'auberge espagnole : on y apporte des rumeurs cuivrées de la gare Victoria, des ennuis balnéaires à coups d'ombrelle au long de l'estacade de Brighton — et jusqu'aux lugubres couloirs de David Copperfield.

Des jeux de croquet se mouillent infiniment. Le soir est bon. Près de la fenêtre entrouverte, les joueurs de bridge se laissent alanguir par les derniers parfums des roses de l'automne. Des chasses au renard viendront, sur fond de ronces rousses et de baies de sureau.

De tout cela, bien sûr, la romancière ne dit pas un mot. Guidé par une main de fer, on fait comme devant toutes les autorités abusives :

en douce et presque en fraude, on déguste
tout ce qu'il ne faut pas voir ni respirer, tout
ce qu'il ne faudrait pas goûter. On se fait sa
cuisine, et on la trouve délicieuse.

Le bibliobus

C'est bien, le bibliobus. Il passe une fois par mois, et s'installe sur la Place de la Poste. On connaît toutes les dates de l'année à l'avance. — Elles sont écrites sur une petite carte brune qu'on vous glisse dans un livre emprunté. Le 17 décembre, de 16 heures à 18 heures, on sait que le grand camion blanc balafré du sigle « Conseil général » sera fidèle au rendez-vous. C'est rassurant, cette mainmise sur le temps. Rien de mal ne peut vous arriver, puisque l'on sait déjà que dans un mois le salon de lecture ambulant reviendra mettre une petite tache de lumière sur la place. Oui, c'est encore mieux l'hiver, quand les rues du village sont désertes. Le seul centre d'animation devient alors le bibliobus. Oh! il n'y a pas foule, ce n'est pas le marché. Mais quand même, des silhouettes familières convergent vers le petit escalier mal-commode qui permet d'accéder au camion.

On sait que dans six mois on rencontrera là Michèle et Jacques (« Alors, cette retraite, c'est pour quand ? »), Armelle et Océane (« Elle porte bien son nom, ta fille, elle a des yeux d'un bleu ! »), d'autres qu'on connaît moins mais qu'on salue d'un sourire entendu : rien que ce rite à partager, c'est toute une complicité.

La porte du camion est étrange. Il faut se glisser entre deux parois transparentes de plastique rigide, qui prémunissent à l'intérieur des courants d'air. Ce sas entrouvert, traversé, on est tout de suite dans le moquetté, le silence douillet, la flânerie studieuse. La jeune fille et l'employé plus âgé à qui l'on rend les livres rapportés témoignent par leur salut qu'ils vous connaissent, mais leur amabilité ne va pas jusqu'à l'enjouement. Tout doit rester feutré. Même si certains jours l'exiguïté du lieu fait déployer des trésors d'ingéniosité déambulatoire pour ne pas déraper vers la promiscuité, chacun reste libre dans son silence, dans son choix. Les rayons sont des plus variés. On a droit au total à douze emprunts, et c'est très bon de faire dans l'hétéroclite. Ce petit recueil de poèmes en prose de Jean-Michel Maulpoix, pourquoi pas ? « Le jour tarde sous un entassement de feuilles et de fleurs de tilleul. » Cette phrase suffit à en donner l'envie.

L'énorme album de Christopher Finch *L'aquarelle au XIXᵉ siècle* sera un peu lourd, mais il y a des beautés rousses préraphaélites, des aubes de Turner, et puis quel privilège de s'arroger ainsi en toute impunité ces trois kilos volumineux de luxe mat! Un magazine de photos avec des enfants de Boubat, une cassette des cantates de Bach, un album sur le Tour de France : on peut glisser dans son panier toutes ces merveilles disparates; déjà comblé, se dire que l'on va en glaner encore tout autant, au hasard des étagères. Les enfants n'en finissent pas de s'accroupir devant les bandes dessinées, les romans illustrés, de s'émerveiller parfois : « La dame a dit que je pouvais en prendre un de plus! »

La soif étanchée, le choix s'alentit. Une odeur de laine tiède, de gabardine mouillée monte dans l'espace étroit. Mais c'est du sol surtout que monte une sensation particulière : une espèce de tangage infime, de roulis. On avait oublié l'équilibre des pneus, le fondement mobile de ce temple familial. Ce mal de mer au chaud des livres, c'est la province en creux d'hiver. Prochain passage du bibliobus : jeudi 15 janvier, de 10 heures à 12 heures, Place de l'Église, de 16 heures à 18 heures, Place de la Poste.

Frous-frous sous les cornières

Dans la vitrine se déploient des caracos fleuris, des soutiens-gorge balconnets, des culottes échancrées dans des tons de fraîcheur, de pois de senteur mauves et bleus, quelques photos de modèles alanguis arborent des ensembles noirs plus sulfureux. Les allusions démoniaques de ces dessous soyeux sont-elles vraiment démenties par le sourire franc des cover-girls qui vous regardent en face, sans arrière-pensée apparente? Sans doute est-ce au contraire le comble de la perversité. On entre là avec un alibi des plus humbles, des plus honnêtes :

— Tu passeras me prendre des boutons-pression chez Mme Rosières?

Mme Rosières! Oui, la tenancière de cet émoustillant comptoir d'ambiguïtés officielles affiche un nom de pruderie fanée. Quant aux panoplies lucifériennes, on a du mal à croire qu'elles puissent être vendues par une Mme Rosières, quelque part dans l'ombre des cornières.

Dehors il faisait lourd, d'une chaleur orageuse dont la touffeur vous avait suivi à la Maison de la Presse, et même dans la luxueuse pharmacie voisine. Mais chez Mme Rosières, il fait bon, il fait crème — la couleur de tous ces minuscules tiroirs qui s'empilent jusqu'au plafond. La boutique est un long couloir; au fond se dresse le comptoir. Dans le renfoncement qui lui succède, deux petites vieilles sont assises, l'une vêtue de satinette fermière, un chapeau de paille rubané sur les genoux, l'autre en tablier bleu, très écolière d'autrefois. La satinette est de passage et de conversation, Mme Rosières est l'écolière. Elle se lève, et s'approche avec un empressement flatteur — mais bientôt on comprend qu'elle n'est pas fâchée d'avoir interrompu ainsi le babillage envahissant de sa compagne. Très momentanément. Malgré votre présence, la satinette lancera sans écho mais sans renoncement des phrases régulières :

— Moi, la tapisserie, ma pauvre, je n'ai plus le goût!

— Il faudra que tu me redonnes du coton à broder.

— C'est bien mardi prochain, la foire à la volaille?

— Cette chaleur, cette chaleur!

Au fond du magasin, le frou-frou cède la place aux canevas : biche aux abois, gitane langoureuse, chanteur sucreux, paysage breton. Mais c'est tout autour du comptoir que s'affiche le trésor des lieux. Il y a d'abord, rangés par ordre croissant de taille sur des plaquettes de carton blanc, des boutons de toutes formes. Émaux utilitaires, camées pratiques, ces bijoux du raffinement ordinaire n'ont de sens que par juxtaposition avec leurs semblables. Ce serait un sacrilège d'acheter les vert pâle, et de les priver de la contiguïté des vert prune, des vert émeraude, et des rose corail. La même irisation complémentaire préside au rangement des bobines de fil, sur le présentoir mural qui fait chanter une palette d'infimes dégradés. Pour les cotons à broder, l'art de la nuance est plus secret. Mme Rosières les extrait des tiroirs où ils ondulent par affinité de ton, et brandit une poignée de serpents bruns, noués aux deux extrémités par une bague de papier noir.

Une pensée incongrue vous traverse. Mme Rosières, l'écolière des patiences ravaudeuses, la sainte patronne des broderies pour doux regards aux yeux baissés, Mme Rosières la protectrice des vêtements de qualité qu'on use jusqu'au bout en changeant les boutons, Mme Rosières a-t-elle recours pour sa propre élégance aux sous-vêtements pois de senteur? On l'eût vouée pourtant aux engonçantes gaines rose chair amoncelées sur un étal non loin de sa boutique, le jour du marché, à l'avantageux confort des culottes de pilou qui s'empilent près des robes paysannes.

Et cependant. Si Mme Rosières a toute sa vie maintenu la tradition de la lingerie fine, c'est sans doute qu'elle en a adopté à sa manière quelques tentatives, quelques coquetteries, quelques audaces. À son âge, évidemment... Mais c'est peut-être là le secret de cette atmosphère si précieuse et si fraîche qui flotte à l'ombre des cornières. Le caraco fleuri que porterait Mme Rosières ne serait pas destiné au contentement de quelque brutalité mâle, ni à l'autosatisfaction d'une jeune femme à son miroir. Non, ce serait un caraco parfait, un ascétique caraco choisi pour l'absolu de sa couleur, de sa texture. Voilà pourquoi le temple crème a cette fraîcheur baptismale. Voilà pourquoi malgré la modestie de son tablier bleu Mme Rosières reste imperceptiblement nimbée d'une aura singulière : elle est la vierge du frou-frou.

Plonger dans les kaléidoscopes

On plonge dans cette chambre japonaise de miroirs; on découvre les cloisons secrètes; on goûte la lumière emprisonnée dans l'étouffant cylindre de carton. Théâtre d'ombres du mystère, coulisses nues du jeu de la lumière, parois de glace sombre. C'est là que le miracle se prépare, dans l'équivoque cruauté des images multipliées. Aux deux bouts du cylindre, pas grand-chose : d'un côté le petit œilleton niaisement évident du voyeur; de l'autre, entre deux cercles opaques, les cristaux de couleur, verre peint d'un ton vif, atténué par le brouillard de la distance et l'idée de poussière. En bas le spectacle est tout plat, en haut le regard froid. Mais quelque chose se prépare entre les deux; dans le caché, le sombre, le fermé, dans ce tube si lisse recouvert d'une mince couche de papier glacé, si anonyme, de mauvais goût souvent, avec des arabesques entrelacées.

On regarde. Dedans, les joyaux bleu canard, mauve ancien, orange lourd, se fractionnent dans une aqueuse fluidité. Palais des glaces de l'Orient, harem des banquises, cristal de neige du sultan. Voyage unique, chaque fois recommencé. Voyage de turquoise au bord des pierreries du Nord, voyage de grenade au large parfumé des golfes chauds. Des pays s'inventent, pays sans nom qu'aucune carte ne saurait retrouver. On tourne à peine le cylindre; on est ailleurs, plus loin; derrière soi, le pays chaud et froid se disloque déjà, avec un petit bruit douloureux de brisure.

Qu'importe ce qu'on abandonne. Quelques cristaux de verre peint se recommencent et inventent le pays nouveau. On attend une image, et c'est presque celle qui vient, mais jamais tout à fait. La petite différence fait tout le prix de ce voyage et son vertige, parfois presque son désespoir : on ne possédera jamais le pays des cristaux qui bougent. Cette mosaïque de ciel ne reviendra pas : vert angélique et rouge de velours théâtre, elle a la solennité géométrique des jardins du Louvre, et l'oppressante intimité d'une maison chinoise. Plafond, mur ou plancher, c'est bien une image de la terre, mais flottant dans l'apesanteur d'un espace éclaté. Il faut rester là, s'abîmer longuement — si l'on pose le cylindre, le geste le plus doux suffit à bouleverser le continent; un souffle devient cyclone, le palais s'envole.

Dans une chambre noire le mystère réfléchit. Tout se perd et tout se confond, tout est léger, tout est fragile. On ne possède rien. Tout juste sans bouger quelques secondes de beauté, une patience ronde, sans désir. Un peu de bonheur sage passe; on le retient entre le pouce et le majeur de ses deux mains. Il faut toucher à peine.

Appeler d'une cabine téléphonique

Ce n'est d'abord qu'une succession de contraintes matérielles toujours un peu embarrassées : la lourde porte hypocrite dont on ne sait jamais s'il faut la pousser-tirer ou la tirer-pousser; la carte magnétique à retrouver entre les tickets de métro et le permis de conduire — contient-elle encore assez d'unités? Puis, le regard rivé sur le petit écran, obéir aux consignes : décrochez... attendez... Dans l'espace clos, trop étroit et déjà embué, on se tient ramassé, crispé, pas à l'aise. Le pianotage du numéro sur les touches métalliques déclenche des sonorités aigrelettes et froides. On se sent captif, dans le parallélépipède rectangle, moins isolé que prisonnier. En même temps, on sait qu'il y a là un rite initiatique : il faut ces gestes d'obédience au mécanisme raide pour accéder à la chaleur la plus intime, la plus désemparée — la voix humaine. D'ailleurs, les sons progressent insensiblement vers ce miracle : à l'écho glacial du pianotage succède une espèce de chanson ombilicale modulée qui vous conduit au point d'attache — enfin, les coups d'appel plus graves, en battements de cœur, et leur interruption comme une délivrance.

C'est juste à ce moment-là qu'on relève la tête. Les premiers mots viennent avec une banalité exquise, un faux détachement — « oui, c'est moi — oui, ça s'est bien passé — je suis juste à côté du petit café, tu sais, place Saint-Sulpice ».

Ce n'est pas ce que l'on dit qui compte, mais ce qu'on entend. C'est fou comme la voix seule peut dire d'une personne qu'on aime — de sa tristesse, de sa fatigue, de sa fragilité, de son intensité à vivre, de sa joie. Sans les gestes, c'est la pudeur qui disparaît, la transparence qui s'installe. Au-dessus du bloc téléphonique bêtement gris s'éveille alors une autre transparence. On voit soudain le trottoir devant soi, et le kiosque à journaux, les gosses qui patinent. Cette façon d'accueillir tout à coup l'au-delà de la vitre est très douce et magique : c'est comme si le paysage naissait avec la voix lointaine. Un sourire vient aux lèvres. La cabine se fait légère, et n'est plus que de verre. La voix si près si loin vous dit que Paris n'est plus un exil, que les pigeons s'envolent sur les bancs, que l'acier a perdu.

La bicyclette et le vélo

C'est le contraire du vélo, la bicyclette. Une silhouette profilée mauve fluo dévale à soixante-dix à l'heure : c'est du vélo. Deux lycéennes côte à côte traversent un pont à Bruges : c'est de la bicyclette. L'écart peut se réduire. Michel Audiard en knickers et chaussettes hautes s'arrête pour boire un blanc sec au comptoir d'un bistro : c'est du vélo. Un adolescent en jeans descend de sa monture, un bouquin à la main, et prend une menthe à l'eau à la terrasse : c'est de la bicyclette. On est d'un camp ou bien de l'autre. Il y a une frontière. Les lourds routiers ont beau jouer du guidon recourbé : c'est de la bicyclette. Les demi-course ont beau fourbir leurs garde-boue : c'est du vélo. Il vaut mieux ne pas feindre, et assumer sa race. On porte au fond de soi la perfection noire d'une bicyclette hollandaise, une écharpe flottant sur l'épaule. Ou bien on rêve d'un vélo de course si léger : le bruissement de la chaîne glisserait comme un vol d'abeille. À bicyclette, on est un piéton en puissance, flâneur de venelles, dégustateur du journal sur un banc. À vélo, on ne s'arrête pas : moulé jusqu'aux genoux dans une combinaison néospatiale, on ne pourrait marcher qu'en canard, et on ne marche pas.

C'est la lenteur et la vitesse? Peut-être. Il y a pourtant des moulineurs à bicyclette très efficaces, et des petits pépés à vélo bien tranquilles. Alors, lourdeur contre légèreté? Davantage. Rêve d'envol d'un côté, de l'autre familiarité appuyée avec le sol. Et puis... Opposition de tout. Les couleurs. Au vélo l'orange métallisé, le vert pomme granny, et pour la bicyclette le marron terne, le blanc cassé, le rouge mat. Matières et formes aussi. À qui l'ampleur, la laine, le velours, les jupes écossaises? À l'autre l'ajusté dans tous les synthétiques.

On naît bicyclette ou vélo, c'est presque politique. Mais les vélos doivent renoncer à cette part d'eux-mêmes pour aimer — car on n'est amoureux qu'à bicyclette.

La pétanque des néophytes

— Alors, qu'est-ce que tu fais? Tu tires, ou tu pouinntes?

Cette mauvaise imitation de l'accent marseillais fait partie des usages. On se sent un peu gourd, les boules à la main. On a beau parodier pour se donner du cœur au ventre, se promettre le pastis ou la Fanny, contrefaire le Raimu furibard, le Fernandel goguenard, on le sent bien : il faut se résigner au deuxième degré, car on n'a pas le style. Non, pas cet accroupissement confortable du premier pointeur, les genoux écartés, méditant le-bon-chemin en faisant tressauter la boule dans sa main recroquevillée. Pas ce silence qui précède les hautes œuvres du tireur — et dans l'exaspération de son attente, il y a comme un risque provocateur, méticuleusement consommé. D'ailleurs, on ne joue pas à la pétanque, mais aux boules : pour un têtard-surprise, un carreau stupéfiant, combien d'approches molles à un mètre du cochonnet, de tirs kamikazes enlevant la boule qu'on ne visait pas!

Il n'empêche. On a ce bruit de fête; ce bruit d'été des boules claires entrechoquées. On retrouve des phrases, on retrouve des gestes.

— Tu le vois, toi?

Alors on s'approche, on désigne du bout du soulier « le petit », caché entre deux cailloux blancs. Peu à peu, les phrases s'espacent, on ose se concentrer davantage. Au lieu d'attendre son tour à côté du cercle, on va se placer au cœur de l'action, près des boules déjà jouées.

— Elle a pris?

On ramasse un bout de ficelle. Tout le monde s'approche. On mesure, et c'est très difficile de ne rien déplacer, sous le regard dubitatif des adversaires.

— Oui, elle tient. Oh, il n'y a pas des kilomètres!

On revient jouer la dernière à petits pas faussement nonchalants. On n'aura pas la cuistrerie de s'agenouiller, mais celle-là on la joue lente, retenue, presque cérémonieuse. Quelques secondes, on la regarde choisir son chemin. Pendant la fin de sa course, on se rapproche, avec un petit signe de dénégation où perce une légère fausse modestie. Elle ne prendra pas, mais elle est bien au jeu, et l'on n'a pas failli.

Au début de la partie, on ramassait les boules des autres, à l'occasion. Mais maintenant, on y est. On ramasse les siennes.

Œuvres de Philippe Delerm (suite)

PANIER DE FRUITS (Librio n° 280)
LE PORTIQUE

Aux Éditions Stock

LES CHEMINS NOUS INVENTENT (Livre de poche n° 14584)

Aux Éditions Milan

C'EST BIEN
C'EST TOUJOURS BIEN
EN PLEINE LUCARNE

Aux Éditions Champ Vallon

ROUEN (collection « Des villes »)

Aux Éditions Magnard Jeunesse

SORTILÈGE AU MUSÉUM
LA MALÉDICTION DES RUINES

Aux Éditions Flohic

INTÉRIEUR (collection « Musées secrets »)

Composition Euronumérique.
Reproduit et achevé d'imprimer
par l'Imprimerie Floch
à Mayenne, le 31 janvier 2007.
Dépôt légal : janvier 2007.
1er dépôt légal : janvier 1997.
Numéro d'imprimeur : 67523.
ISBN 978-2-07-074483-1 / Imprimé en France.

150731